Y0-BXV-793

Garfield fête ses 40 ANS !

Garfield fête ses 40 ANS !

PAR JiM DAViS
© PAWS

PRESSES AVENTURE

© 2018 Presses Aventure inc., pour l'édition en langue française.
© 2018 PAWS, Inc. Tous droits réservés.

Garfield et les autres personnages Garfield sont des marques déposées de PAWS, Inc.
Avant-propos de Lin-Manuel Miranda © 2018. Tous droits réservés.

Publié pour la première fois en 2018 sous le titre *Age Happens — Garfield Hits The Big 4-0* par Ballantine Books, une division de Random House Publishing Group.

PRESSES AVENTURE INC.
55, rue Jean-Talon Ouest
Montréal (Québec) H2R 2W8
CANADA

groupemodus.com

Président-directeur général : Marc G. Alain
Directrice éditoriale : Marie-Eve Labelle
Adjointe éditoriale et réviseure linguistique : Catherine LeBlanc-Fredette
Traducteur : Jean-Robert Saucyer
Réviseure : Flavie Léger-Roy
Correctrice : Louise Rondeau

Équipe de l'édition originale
Éditeurs, rédacteurs : Mark Acey, Scott Nickel
Directeur artistique, concepteur : Thomas G. Howard
Concepteurs : Betsy Knotts, Jeff Wesley
Illustrateur : Brett Koth
Soutien artistique : Glenn Zimmerman, Lynette Nuding
Directrice des relations publiques : Kim Campbell Beasley

Dépôt légal — Bibliothèque et Archives nationales du Québec, 2018
Dépôt légal — Bibliothèque et Archives Canada, 2018

ISBN : 978-2-89751-428-0

Tous droits réservés. Aucune section de cet ouvrage ne peut être reproduite, mémorisée dans un système central ou transmise de quelque manière que ce soit ou par quelque procédé électronique ou mécanique (photocopie, enregistrement ou autre) sans l'autorisation écrite de l'éditeur.

Gouvernement du Québec — Programme de crédit d'impôt pour l'édition de livres — Gestion SODEC

Financé par le gouvernement du Canada Canada

Imprimé en Chine

Photographe : Matthew Murphy

AVANT-PROPOS

de Lin-Manuel Miranda

Tout a commencé avec un formulaire de commande de livres.

Vous vous souvenez de ce formulaire ? On le distribuait en classe, à la petite école. Il suffisait de commander trois albums ou plus pour avoir droit à une affiche sur laquelle des chiots entassés dans un panier ou un chaton agrippé à sa propre queue disaient : « Tiens bon ».

C'est ainsi que le quinzième album de Garfield, *Garfield Worldwide*, s'est retrouvé entre mes mains. Il était gris comme le pelage de Nermal et il ne ressemblait en rien aux autres livres que j'avais vus jusqu'alors. Garfield était là, un globe terrestre en guise de ventre, assorti d'une bulle qui disait : « Ton hémisphère ou le mien ? »

J'ai ouvert l'album et je me suis mis à rire. Je venais de basculer dans une autre dimension.

Le petit Lin-Manuel avec quelques-unes de ses précieuses peluches.

À la fin de l'année, je possédais TOUS les albums ainsi que des dizaines de peluches de Garfield et d'Odie. J'ai même apporté à l'école un gâteau à l'effigie de Garfield le jour de son anniversaire, le 19 juin, et j'ai fondu en larmes lorsque j'ai dû le couper pour en offrir. J'ai appelé le chaton de ma sœur Nermal et j'attendais avec impatience l'émission *Garfield & Friends* tous les samedis à onze heures.

Garfield a été ma première obsession en matière de culture populaire. Mais pourquoi donc ?

Tout d'abord, la bande. Garfield a été la *première* bande dessinée à me faire éclater de rire. Les blagues de Davis sont un mélange parfait d'humour écrit et visuel ; il peut vous faire rire par une seule réplique ou par une simple tarte à la crème lancée d'on ne sait où par on ne sait qui. Dans l'univers de Garfield, tout peut arriver, et tant qu'il y a de l'humour, tout finit toujours par rentrer dans l'ordre.

Dédicace surprise de Jim Davis après une représentation de *Hamilton* : « Lin-Manuel, tu rockes ! Avec toute mon admiration, Jim Davis »
Lin-Manuel : « Il m'a fait pleurer comme une Madeleine. »

Ensuite, il y a Garfield lui-même : un chat ironique et détaché, mesquin envers tout un chacun, mais attachant malgré tout. Lorsque j'étais enfant, il était mon double : capable de se moquer de son entourage, le centre d'attraction à toute heure et en tout lieu, souvent objet de risée ou victime d'une situation. Il ne faisait aucun doute que c'était lui qui dirigeait la maisonnée de Jon Arbuckle. Ce pauvre Jon, aussi bonasse qu'infortuné, qui serait une figure bien tragique si on retirait Garfield de l'équation. (Quiconque a lu *Garfield Minus Garfield* peut en témoigner.)

Lorsque j'avais environ 8 ans, mon institutrice nous a demandé de rédiger une nouvelle. Je lui ai remis une odyssée en huit chapitres narrant les aventures de Garfield dans le passé, le présent et l'avenir au moyen d'une machine à voyager dans le temps. Cette nouvelle s'est perdue au fil des ans, mais toute la narration était composée en strophes de deux vers rimés. C'était là ma première œuvre romancée. Je n'affirme pas que je dois *Hamilton* à Garfield, mais je suis convaincu qu'il n'hésiterait pas à s'en attribuer tout le mérite.

À présent, vous avez entre les mains l'album qui souligne son quarantième anniversaire, et j'espère qu'il vous procurera du plaisir. S'il s'agit du premier album de Garfield que vous lisez (peut-être l'avez-vous commandé par formulaire pour recevoir une affiche gratuite ?), préparez-vous, chers amis, car votre vie ne sera plus jamais la même.

Siempre,

Lin-Manuel Miranda

40 ANS DE MAUVAISES FRÉQUENTATIONS AVEC MOI-MÊME

NÉ EN 1978 LE 19 JUIN

UNE ⭐ EST NÉE
LE 19 JUIN 1978

GARFIELD FÊTE SES 40 ANS !

GARFIELD détient le record Guinness de la BD la plus publiée à travers le monde.

Garfield compte 17 millions d'amis sur Facebook.

Steven Spielberg et Stephen King comptent parmi les célébrités qui possèdent les planches originales de Garfield.

En Suède, Garfield s'appelle Gustaf.

Le ballon de Garfield qu'on a vu au célèbre défilé de l'Action de grâce de Macy's contenait 18 907 pi^3 d'hélium.

5 FAITS INSOLITES À PROPOS DE GARFIELD

LA NATURE A ÉTÉ BONNE ENVERS TOI, GARFIELD

ON NE PEUT PAS EN DIRE AUTANT DU TEMPS

ON DIT QUE LES CHATS PERDENT L'OUÏE EN PREMIER

OU EST-CE LA VUE?

TON CADEAU EST À L'INTÉRIEUR DE LA CARTE, GARFIELD

UN JOUR, MA SIGNATURE VAUDRA DE L'OR!

Je ne suis pas vieux...

je suis un classique

VOUS AVEZ LE DROIT DE FAIRE LA FÊTE.

Si vous n'avez pas de fête, nous vous en organiserons une.

LE CLUB DES BÉDÉISTES

Ils sont tous réunis ! Voici les vœux d'anniversaire des collègues bédéistes de Jim Davis.

BON ANNIVERSAIRE, GARFIELD !

QUOI ? PAS DE CALEMBOUR IDIOT ?

Stephan Pastis
PEARLS BEFORE SWINE

© 2017 Stephan Pastis.

© 2017 Grimmy, Inc. Tous droits réservés.

Mike Peters
**MOTHER
GOOSE AND
GRIMM**

Dave Coverly
**SPEED
BUMP**

© 2017 Dave Coverly.

Dean Young
BLONDIE

À JIM ET GARFIELD

WOUAH! QUARANTE ANNÉES FORMIDABLES! ÇA EN FAIT, DES LASAGNES!
AVEC TOUTE MON AFFECTION ET MES MEILLEURS VŒUX,

© 2017 King Features Syndicate, Inc. Tous droits réservés.

AAAH!

BONNE FÊTE!

Rick Kirkman

Jerry Scott

BABY BLUES

© 2017 Baby Blues Partnership.

John Rose
**SNUFFY
SMITH**

AVOIR 40 ANS, C'EST PAS LA MER À BOIRE... ET ON L'SAIT, NOUS, PARCE QU'ON A DÉJÀ BU UNE RIVIÈRE, QUELQUES LACS, DEUX FLEUVES ET MÊME UNE PARTIE DE LA MÉDITERRANÉE! MAIS T'EN FAIS PAS, ON T'EN LAISSE!

JOYEUX 40ᴱ ANNIVERSAIRE
★ MEILLEURS VŒUX, GARFIELD! ★

MEILLEURS VŒUX POUR 40 ANNÉES DE PLUS, JIM!

JOHN ROSE

Norm Feuti
RETAIL

© 2017 Norm Feuti.
Distribution King Features Syndicate.

Greg Evans
LUANN

© 2017 GEC Inc.
Distribution Andrews McMeel Syndication.

Jerry Scott

Jim Borgman

ZITS

CLASSIQUES

© 2017 King Features Syndicate, Inc. Tous droits réservés.

© 2017 Zits Partnership.
Distribution King Features Syndicate.

Mort Walker
BEETLE BAILEY

Pour Garfield et Jim, avec mes meilleurs vœux!

© 2017 Tundra.

Chad Carpenter
TUNDRA

Bob Scott
BEAR WITH ME

© 2017 Bob Scott.

Tom Batiuk

Dan Davis

BRAVO POUR TON 40e ANNIVERSAIRE...

OU **540**e EN ANNÉES FÉLINES!

Meilleurs vœux de Tom Batiuk et Dan Davis!

© 2017 Mediagraphics, Inc.
Distribution North America Syndicate.

CRANKSHAFT

BON ANNIVERSAIRE AU MEILLEUR CHAT DU MONDE!

WOU HOU

OUAIS!

MERCI, L'AMI! ÇA LUI FAIT VRAIMENT PLAISIR, MÊME S'IL N'EN MONTRE RIEN.

SUPER! MAIS NE LE DIS À PERSONNE, OK?

SINON, TA PROPRE BD, C'EST POUR BIENTÔT?

JE NE SAIS PAS. C'EST SOI-DISANT POLITIQUE

Paul Gilligan
POOCH CAFE

© 2017 Paul Gilligan.
Distribution Andrews McMeel Syndication.

© 2017 RWO Studios. Distribution King Features.

RHYMES WITH ORANGE

Hilary Price

Rina Piccolo

Bill Whitehead
FREE RANGE

© 2017 Bill Whitehead. Distribution Creators.com.

JOYEUX 40ᵉ GARFIELD!

♥ JOHN HART STUDIOS

© 2017 Trust f/b/o Ida H. Hart u/w/o John L. Hart, tous droits réservés.

Mason Mastroianni
BC

N'oublie pas : tu es dans la quarantaine, à présent. Ne mange pas trop de lasagne !

Terri Libenson
THE PAJAMA DIARIES

© 2017 Terri Libenson. Distribution King Features Syndicate, Inc.

Lincoln Peirce
BIG NATE

© 2017 Lincoln Peirce. Distribution Andrews McMeel pour UFS.

© 2017 David DeGrand.

David DeGrand
BOOM! COMICS

Scott Ketcham
**DENIS LA
PETITE PESTE**

© 2017 Hank Ketcham Enterprises. Distribution King Features Syndicate.

Est-ce qu'on est censés s'amuser ?

Diamond Lil © 2018 creators.com

Joyeux 40e, l'ami !
DIAMOND LIL et *BrettKoth*

PHOTO SANS RETOUCHE

Brett Koth
DIAMOND LIL

David Reddick
INTELLIGENT LIFE

JOYEUX 40e !

WOUF !

À GARFIELD ET JIM, POUR CES 40 ANS DE PARESSE, DE GLOUTONNERIE ET DE CHATTITUDE ! AMITIÉS ET MEILLEURS VŒUX !
La bande de Intelligent Life et *David Reddick*

Intelligent Life ©2017 David Reddick, Dist. By King Features Syndicate, Inc.   IntelligentLifeComics.com

© 2017 Tom Richmond. Tous droits réservés.

Tom Richmond
MAD MAGAZINE

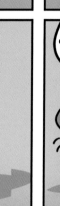

JOYEUX ANNIVERSAIRE, GARFIELD !

Scott Kurtz
PvP

© 2017 Scott R. Kurtz.

Chris Browne
HAGAR THE HORRIBLE

TU M'AS L'AIR D'UN TYPE QUI SAIT TOUJOURS OÙ TROUVER À MANGER.

© 2017 King Features Syndicate, Inc. Tous droits réservés.

ON N'EST JEUNE QU'UNE FOIS...
FRRT
FRRT
FRRT
FRRT
FRRT
FRRT
FRRT
FRRT
MAIS ON PEUT ÊTRE IMMATURE TOUTE SA VIE!

GARFIELD FÊTE SES 40 ANS !

On sait qu'on est rendu vieux quand : **les seuls poils qui poussent encore sont dans nos oreilles**

PLUTÔT QUE RUMINER, FAIS LA FÊTE...

QUITTE À FAIRE LA FÊTE AVEC LES RUMINANTS !

JE NE DEVIENS PAS VIEUX

JE SUIS NÉ GRINCHEUX

CONSEIL D'ANNIVERSAIRE Nº 45

N'ACCEPTEZ JAMAIS UN CADEAU QUI A DES TROUS D'AÉRATION

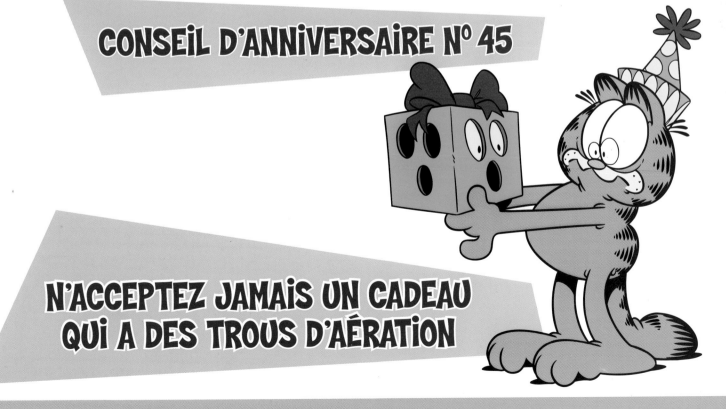

Vieillir, c'est fabuleux
J'apprends quelque chose de nouveau chaque jour

ET J'OUBLIE DEUX CHOSES QUE JE SAVAIS DÉJÀ

QUI, MOI?

GARFIELD

ATCHOU!

HA!

PFOU!

DIEU MERCI!

© 1995 PAWS, INC. All Rights Reserved.

Chat gras
Grand art

Voici quelques superbes portraits de Garfield par ses admirateurs !

Carly H, 11 ans
Indiana, États-Unis

Stephen P, 14 ans
Tennessee, États-Unis

Madison R, 6 ans
Washington, États-Unis

Elizabeth L, 11 ans
Caroline du Nord, États-Unis

Caroline M, 10 ans
Utah, États-Unis

Josh C, 10 ans
Colorado, États-Unis

Clayton H, 6 ans
Indiana, États-Unis

Rip Van Garfield

Grace A, 11 ans (presque 12)
Washington, États-Unis

Zackyia H, 15 ans
Alberta, Canada

Riley F, 18 ans
Caroline du Nord, États-Unis

Peter F, 15 ans
Floride, États-Unis

Ashley A, 31 ans
New York, États-Unis

Ina G, 36 ans
Californie, États-Unis

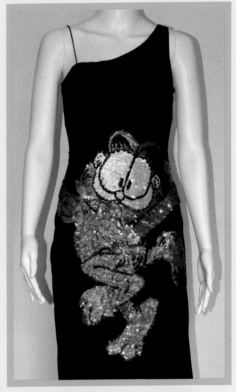

Shannon P, 41 ans
Utah, États-Unis

Zoe M, 19 ans
Texas, États-Unis

Teller C, 18 ans
Virginie, États-Unis

Nightmargin (alias Casey), 25 ans
Arkansas, États-Unis

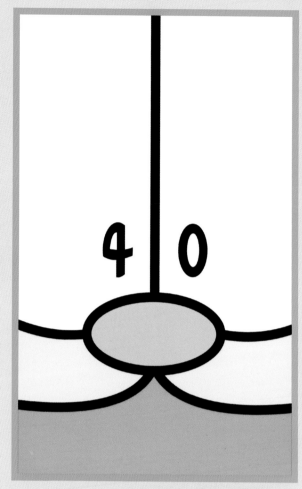

Davey P, 44 ans
Cambridgeshire, Royaume-Uni

Joshua W, 36 ans
Indiana, États-Unis

Clint H, 24 ans
Alberta, Canada

Ron A, 48 ans
Arkansas, États-Unis

Eric K, 13 ans
Ontario, Canada

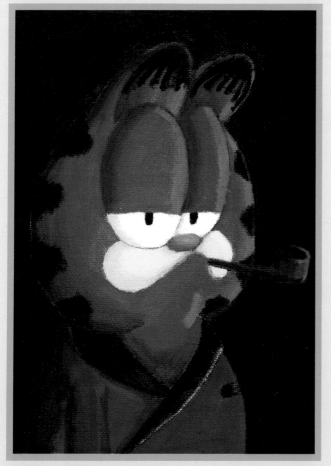

Angelo M, 23 ans
New York, États-Unis

Sarah T, 16 ans
Iowa, États-Unis

Elaine W, 18 ans
Colombie-Britannique, Canada

Megan J, 15 ans
Ohio, États-Unis

Gary B, 33 ans
Maryland, États-Unis

Eric J, 27 ans
Californie, États-Unis

Rosie G, 17 ans
Colorado, États-Unis

Laura Y, 27 ans
Colombie-Britannique, Canada

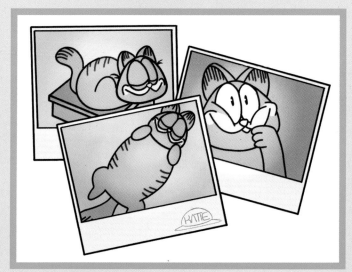

Katie W, 18 ans
Ohio, États-Unis

Nigel M, 17 ans
Californie, États-Unis

David G, 21 ans
Missouri, États-Unis

Noah S, 18 ans
Colorado, États-Unis

Bianca S, 36 ans
Montana, États-Unis

April M, 18 ans
Californie, États-Unis

Nalani R, 18 ans
Floride, États-Unis

GARFIELD FÊTE SES 40 ANS !

Penny E, 19 ans
Indiana, États-Unis

Mark F, 31 ans
New Jersey, États-Unis

Krissy L, 22 ans
Géorgie, États-Unis

Yee Cheng C, 19 ans
Victoria, Australie

Tomasz D, 30 ans
Lubin, Pologne

Michiel G, 34 ans
Le Helder, Pays-Bas

Joaquin S, 17 ans
Buenos Aires, Argentine

Enzo L, 15 ans
Poitiers, France

Kim B, 26 ans
Saskatchewan, Canada

Miguel Ángel J, 21 ans
État de Mexico, Mexique

Tara C, 39 ans
Nouveau-Brunswick, Canada

Evelina T, 25 ans
Broby, Suède

GARFIELD FÊTE SES 40 ANS !

On sait qu'on est rendu vieux lorsqu'on allume les bougies à l'aide d'un chalumeau

ENTRETIEN AVEC GARFIELD À L'OCCASION DE SON 40e ANNIVERSAIRE

Chat va ?

À l'occasion de votre 40e anniversaire, je souhaite vous poser 40 questions.

Vingt suffiront. J'ai la moitié de la patience et de l'énergie que j'avais. Mais, par chance, mon appétit vorace est toujours le même.

Vous avez fait vos premiers pas il y a 40 ans. Comment vous sentez-vous après tout ce temps ?

Diminué sur le plan chronologique. Ça sonne mieux que vieux.

Donc, vous estimez que vous êtes vieux ?

En fait, non. Je suis une merveille sans âge. Et un canon de beauté féline !

Qu'y a-t-il sur votre liste de choses à faire avant de mourir ?

À court terme : manger un baril de poulet frit. À long terme : faire un safari en Afrique. C'est l'une des rares choses qui mérite que l'on sorte du lit.

Pourquoi un safari ?

J'aimerais faire la connaissance de mes cousins éloignés, les grands félins. Je pense que je pourrais transformer leur existence. Ils perdent trop de temps et d'énergie à chasser; je leur enseignerais comment commander une pizza.

Quels sont vos projets pour l'avenir rapproché ?

Participer à un marathon de siestes.

Votre célébrité tient, entre autres, à votre sommeil à toute épreuve. Avez-vous déjà fait de l'insomnie ?

Oui, à vrai dire. Le 8 novembre 1992.

Nous savons tous que vous adorez la lasagne. Quel est votre autre mets préféré ?

Tout le reste (en grande quantité). Sauf les raisins secs, le chou frisé et le tofu.

Vous ne semblez pas vouloir ralentir le rythme après 40 ans. Au départ, pensiez-vous faire carrière pendant quatre décennies ?

Au début, je ne rêvais pas de gloire et de fortune ; seulement d'un beignet de la taille d'un pneu de camion-remorque.

Que signifie ce cap des 40 ans, à vos yeux ?

L'âge est comme la limitation de vitesse… un nombre que nous devons ignorer.

Avez-vous des regrets ?

Ouais, la fois où j'ai mangé des sushis préparés trois jours plus tôt. Je vous épargne les détails…

À quoi carburez-vous à votre âge ?

À la caféine et au Botox.

Que pensez-vous des médias sociaux ?

Comme tout le monde, j'y suis accro. C'est un bon moyen pour entretenir le contact avec mes admirateurs… et regarder des tonnes de vidéos de chats.

Vous avez fait équipe avec Grumpy Cat, la chatte boudeuse. Comment ça s'est passé ?

Nous avons convenu que c'était un honneur de travailler avec moi.

Quelle est la réalisation dont vous êtes le plus fier ?

Le fait que sept de mes albums aient figuré en même temps au palmarès des meilleurs vendeurs du *New York Times* en est une. Mais, plus que tout, je suis fier d'avoir déjà bouffé mon propre poids en fromage.

Que retenez-vous des années 1980 ?

Je ne sais plus. C'était un brouillard d'épaulettes, de coupes de cheveux ridicules et de pantalons bouffants.

Comment allez-vous célébrer vos 40 ans ?

Avec panache : je pense commander une pizza couronnée de 40 garnitures !

Quelle a été votre expérience la plus remarquable au cours de ces 40 années ?

Après autant de livres et de films à succès, d'émissions lauréates de prix Emmy et d'effigies apposées aux pare-brise d'autos dans le monde entier, j'ai du mal à en choisir une seule. (La modestie est surestimée.) Mais ce pourrait être cette journée dans ce restaurant texan qui proposait un buffet à volonté, suivie par un sublime rot qui a résonné jusqu'au Tennessee !

Y a-t-il quelqu'un, une célébrité ou un personnage de bande dessinée, avec qui vous aimeriez collaborer ?

Avec Leonardo DiCaprio. Leo, appelle-moi ! Je vais te faire gagner ton deuxième Oscar ! Sinon, en bande dessinée, Mary Worth me semble une vieille dame fort amusante.

Dernière question : auriez-vous quelques paroles de sagesse à l'intention de vos admirateurs ?

Ouais ! Voici ma devise : la vie est ponctuée d'incertitudes ; mangez le dessert en premier.

GARFIELD FÊTE SES 40 ANS !

C'EST BON! VOUS N'AVEZ PAS À ME LE RAPPELER!

JE SAIS QUE MON ANNIVERSAIRE APPROCHE!

© 1998 PAWS, INC. All Rights Reserved.

JIM DAVIS 6-14

GARE AUX
DÉBILES
PORTEURS DE
PRÉSENTS

5 FAUSSES RUMEURS SUR GARFIELD

Il a tenté de vendre Odie sur Internet

Il a refusé le rôle de Simba dans *Le Roi Lion*

Il a subi une chirurgie esthétique
(mais quelle célébrité des années 1970 n'est pas passée sous le bistouri?)

Il possède des photos compromettantes de Jon qui danse le baladi

Il a brièvement fréquenté Hello Kitty
(pas son genre : trop mignonne)

C'EST MON ANNIVERSAIRE ET JE PEUX FAIRE CE QUE JE VEUX!

... NE ME RÉVEILLEZ PAS!

PFFF

Z

Distributed by Universal Press Syndicate
www.garfield.com

© 2001 PAWS, INC. All Rights Reserved.

J'AURAI 24 ANS LA SEMAINE PROCHAINE...

SAVEZ-VOUS CE QUI ME DÉPLAÎT LE PLUS DE MON ANNIVERSAIRE?

ET VOILÀ!

JE M'APPELLE NERMAL. JE SUIS LE CHATON LE PLUS MIGNON QUI SOIT!

JE SUIS CURIEUX. QUAND ON EST AUSSI VIEUX QUE TOI...

QU'EST-CE QUI S'ENVOLE EN PREMIER? LA MÉMOIRE? LA VUE? LE DOS?

LE CHATON

ON DIT QUE TU AURAS BIENTÔT 24 ANS

C'EST VRAI

CIEL! TOUTES CES CHOSES DONT TU AS ÉTÉ TÉMOIN!

COMMENT ÉTAIT L'EXISTENCE AVANT L'ARRIVÉE DU TÉLÉCOPIEUR?!

TROP ÉPOUVANTABLE POUR EN PARLER

Plus vieux, oui.
Plus sage, peut-être.
Plus fêlé, absolument !

ENTENDU
LORS D'UNE
FABULEUSE FÊTE

Qui suis-je et où ai-je trouvé ce poulet?

COMMENT CETTE CHÈVRE EST-ELLE MONTÉE LÀ-HAUT ?

Ballons remplis d'eau à midi!

J'ADORE COMMENT LA TREMPETTE S'INFILTRE ENTRE MES ORTEILS.

FAIS LA FÊTE COMME UNE STAR DU ROCK

GARFIELD FÊTE SES 40 ANS !

AUJOURD'HUI, J'AI 25 ANS ET JE VEUX TE REMERCIER DE LIRE MES AVENTURES

JE NE PARLE PAS DES AUTRES LECTEURS. JE TE PARLE À TOI. MERCI À TOI!

DE NOUS TOUS!

JIM DAVIS 6-19

J'AURAI BIENTÔT 26 ANS

JE N'AIME PAS VIEILLIR

MALHEUREUSEMENT, L'ÂGE S'EST FOLLEMENT ÉPRIS DE MOI

JIM DAVIS 6-8

QUE VEUX-TU AVOIR POUR TON ANNIVERSAIRE, GARFIELD?

UN CANARI SANS PLUMES

IL NE ME CHATOUILLERAIT PAS LE GOSIER

JIM DAVIS 6-9

On sait que l'on vieillit lorsque...

on se souvient de l'époque où il n'y avait que deux saveurs de crème glacée!

on a connu le Yéti alors qu'il était en couche!

on saupoudre du sel attendrisseur sur le gruau!

on peut faire un dessin en reliant ses taches de vieillesse!

Difficile d'être nostalgique quand on ne se souvient plus de rien

PARTI À LA PÊCHE

LES GENS M'AIMENT...
SAIS-TU POURQUOI?

PARCE QUE JE SUIS MIGNON!
ALORS QUE TOI...

À VRAI DIRE,
TU TOMBES EN RUINE

JE ME DEMANDE
JUSQU'OÙ PEUT
REBONDIR UN
«MIGNON»

Distributed by Universal Press Syndicate   www.garfield.com

© 2004 PAWS, INC. All Rights Reserved.

EUF

LES ANNIVERSAIRES APPORTENT PLEIN DE CHOSES

DES POILS GRIS...

DES ARTICULATIONS DOULOUREUSES...

DES POILS AUX OREILLES, DES DOULEURS LOMBAIRES, DES DENTS GÂTÉES...

EUF...

ET DU GÂTEAU !

CETTE ANNÉE, JE ME SENS PLUS JEUNE QUE JAMAIS !

CE N'EST PAS UN ANNIVERSAIRE QUI VA ME RALENTIR, JE VOUS LE DIS !

C'EST MON IMAGINATION OU CETTE BANDE S'EST ALLONGÉE ?

L'âge est un état d'esprit avec un soupçon de déni

JEU-QUESTIONNAIRE AUTOUR DE L'ANNIVERSAIRE DE GARFIELD

Prenez une profonde inspiration et essayez de répondre à ces questions brûlantes en un souffle !

1. Laquelle des célébrités suivantes ne célèbre PAS son anniversaire le 19 juin comme Garfield ?
A. Zoe Saldana
B. Carlos Santana
C. Jean Dujardin
D. Macklemore

2. Qu'a offert Jon à Garfield à son 2e anniversaire ?
A. Un affreux chandail à l'effigie d'un chaton
B. Un *punching bag* à l'effigie d'Odie
C. Du tabac à mâcher
D. Une fête surprise

3. Qui s'est présenté à la fête de Garfield sans y avoir été invité ?
A. Un âne sans queue
B. Une araignée pleine de culot
C. Un phacochère à la mauvaise haleine
D. Un hippopotame obèse

4. Qu'a fait Garfield lorsqu'il a eu 13 ans ?
A. Il s'est fait un tatouage du groupe Guns N' Roses
B. Il a reçu un baiser de Julia Roberts
C. Il a célébré sa bar-mitsvah
D. Il a trouvé son premier poil gris et l'a teint

5. Qu'a offert la mère de Jon à Garfield pour son 16e anniversaire ?
A. Une poule
B. Une carte de souhaits réalisée au crochet
C. Une affiche de bébés escargots
D. Une brochette de porc tricotée

6. De quelle façon Jon a-t-il célébré son 18ᵉ anniversaire?
A. En faisant tomber des vaches endormies
B. En dansant le quadrille dans une discothèque
C. En préparant une sangria au lait de chèvre
D. En regardant *La mélodie du bonheur*

7. Que désirait Garfield pour son 18ᵉ anniversaire?
A. Un gâteau de dix-huit étages
B. Un ouvre-boîte
C. De l'herbe à chat
D. Une fausse carte d'identité

8. Lors du 18ᵉ anniversaire de Jon, à la ferme, à quel jeu a-t-on joué?
A. Au tabouret à traire musical
B. Au lancer de bouses de vache
C. À épingler la queue de l'âne (avec un âne vivant)
D. Aux échecs

9. Que désirait Garfield pour son 30ᵉ anniversaire?
A. Une machine à voyager dans le temps
B. Un fonds en fiducie
C. Un hot-dog au fromage de 10 mètres de longueur
D. Un bac à litière phosphorescent

10. Garfield a déjà donné à Jon un cadeau d'anniversaire qui n'était pas emballé; qu'était-ce?
A. Une gigantesque boule de poils
B. Un câlin bien senti
C. Une pédicure
D. Un rot bien sonore

11. Qu'a donné Liz à Jon lors de son anniversaire?
A. Des chaussettes incrustées de pierres du Rhin
B. Des pastilles à la menthe
C. Un traitement contre les puces
D. Un baiser

12. Qu'a proposé Garfield à Jon comme suggestion de cadeau pour Liz?
A. Une chirurgie esthétique pour réduire les lèvres
B. Un rendez-vous galant avec n'importe qui sauf lui
C. Une boîte de thon
D. De l'argent comptant

Réponses:

1. B. 2. D. 3. B. 4. D. 5. B. 6. A. 7. B. 8. C. 9. A. 10. D. 11. D. 12. C.

La paresse n'est pas innée...

ZZZZZ

C'est une compétence acquise

AFIN DE RALENTIR LE PROCESSUS DU VIEILLISSEMENT, IL FAUT ACCÉLÉRER LE PROCESSUS DU MENSONGE

J'AI 29 ANS ET MON PRIX NOBEL EST ACCROCHÉ AU RÉTROVISEUR DE MA ROLLS-ROY... FERRARI! OUAIS, FERRARI, C'EST LA CLASSE!

EUF...

UN AUTRE ANNIVERSAIRE

C'EST LE 27E...

CE QUI EST TRÈS VIEUX POUR UN CHAT

SI SEULEMENT JE POUVAIS FAIRE QUELQUE CHOSE...

TU MARCHES À RECULONS

CE N'EST QU'UNE THÉORIE, MAIS QUI SAIT

GARFIELD FÊTE SES 40 ANS !

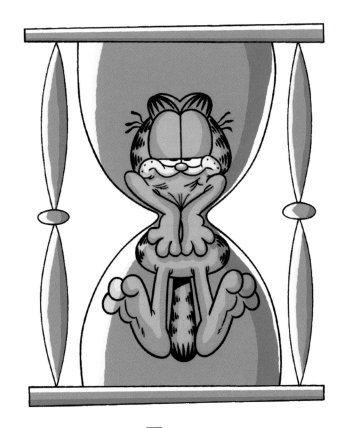

ON N'ÉCHAPPE PAS AU TEMPS

ELVIS EST
TOUJOURS VIVANT...
ET IL S'APPRÊTE
À MANGER
SON GÂTEAU
DE FÊTE!

TON ANNIVERSAIRE APPROCHE. LE CALENDRIER NE MENT PAS

AS-TU SONGÉ À CE QUE TU VEUX?

OUI...

MAIS ON N'A PAS ENCORE INVENTÉ LA MACHINE À VOYAGER DANS LE TEMPS

UN AUTRE ANNIVERSAIRE... LE MOMENT EST PEUT-ÊTRE VENU DE SONGER À L'AVENIR

DE COMMENCER À FORMER DES PROJETS...

DE COMMANDER UNE HANCHE ARTIFICIELLE

VOILÀ POURQUOI LES CHATS BOUFFENT LES SOURIS

CLAC
CLAC
CLAC
CLAC
CLAC
CLAC

CLAC
CLAC
CLAC
CLAC
CLAC

JE NE SUIS PAS VIEUX!

Mettons-nous-en plein **les babines !**

L'ANNIVERSAIRE DE GARFIELD EST POUR BIENTÔT

DES CADEAUX, DES CADEAUX, ENCORE DES CADEAUX!

QUE PEUT-ON OFFRIR À UN CHAT QUI VEUT TOUT AVOIR?

© 2008 PAWS, INC. All Rights Reserved. Distributed by Universal Press Syndicate

C'EST MON ANNIVERSAIRE DEMAIN

CETTE ANNÉE, JE VAIS CÉLÉBRER D'UNE MANIÈRE QUI CONVIENT À MON ÂGE

SUPER!

J'ADORE JOUER AU FAUTEUIL ROULANT MUSICAL!

© 2008 PAWS, INC. All Rights Reserved. Distributed by Universal Press Syndicate

DANS LES INCONVÉNIENTS, IL Y A LA PERTE DE MÉMOIRE ET DE POILS, L'APPARITION DE POILS DANS LE NEZ ET LES OREILLES, LES TACHES BRUNES, LES RIDES, LES ARTICULATIONS DOULOUREUSES ET LA PEAU QUI PEND

ET DANS LES AVANTAGES, IL Y A LE GÂTEAU

GARFIELD 30 ANS

LE CHOIX EST CLAIR

BON ANNIVERSAIRE!

© 2008 PAWS, INC. All Rights Reserved. Distributed by Universal Press Syndicate

VIEILLIR N'EST PAS JOJO

LE PALMARÈS DE JIM

Ses bandes préférées des quatre premières décennies

19 juin 1978

« *Voici ma première bande, qui est également ma préférée. C'est l'une des rares fois où Jon parle de son métier. Cette bande est un peu prophétique. Je considère que j'évolue encore dans le secteur du divertissement.* »

21 juin 1978

« *Cette bande a défini le caractère de Garfield. En plus de se démarquer des stéréotypes félins, il nous est apparu comme un humain dans un costume de chat.* »

12 février 1982

« *En de très rares occasions, je me sers d'un gag provenant d'une source en qui j'ai confiance. Celui-ci est de mon père, mais je n'ai jamais réussi à lui en faire écrire un autre !* »

15 septembre 1985

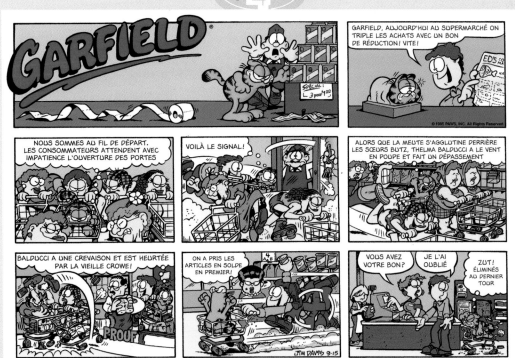

« *Dans cette bande parue un dimanche, j'ai voulu concentrer le plus d'action et de dessins possibles. Ce ne fut pas facile, mais je me suis bien amusé. Même Monsieur Whipple (vous souvenez-vous de lui ?) fait une brève apparition.* »

27 avril 1989

« *C'est la seule fois où j'ai montré le vrai visage d'Odie loin des caméras.* »

9 juin 1991

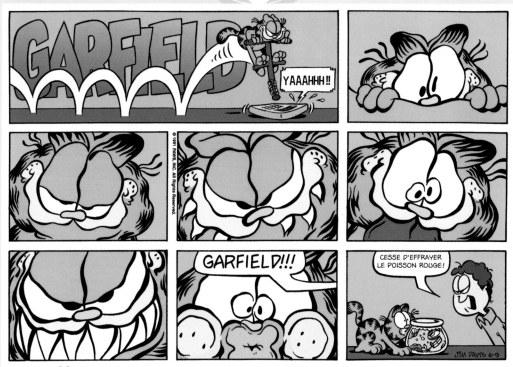

« *Dans le métier, nous appelons cela un papier peint assorti d'une chute. J'adore taquiner le lecteur au moyen d'une action en apparence insensée dans un grand nombre de cases, puis révéler la logique dans la dernière. En outre, c'est un bon prétexte pour dessiner des bêtises.* »

7 octobre 1992

« L'exagération est l'un des ingrédients de la comédie…
et on peut difficilement exagérer davantage. »

25 mars 1993

« Certains gags n'ont aucun sens et il n'est pas nécessaire qu'ils en aient
s'ils sont suffisamment absurdes. Celui-ci est très absurde. »

18 décembre 1993

« *De temps en temps, je cède à la nostalgie et je me remémore mon enfance à la ferme de mes parents. Quand je songe au plaisir que Doc Boy et moi avons eu! Ha, ha, ha...* »

4 décembre 1994

« *J'ai lu quelque part que le meilleur moyen de se sortir un refrain de la tête est de le fredonner à voix haute. Inévitablement, quelqu'un d'autre l'entendra et il ne pourra plus s'en défaire. À la manière d'un rhume de cerveau.* »

« *Lorsque notre fils aîné avait dix-huit mois, il a voulu décorer le sapin de Noël.
Il ne pouvait atteindre les branches du haut et toutes les décorations se sont trouvées
concentrées au même endroit. Ce fut le plus beau sapin de Noël de toute ma vie.* »

10 septembre 1995

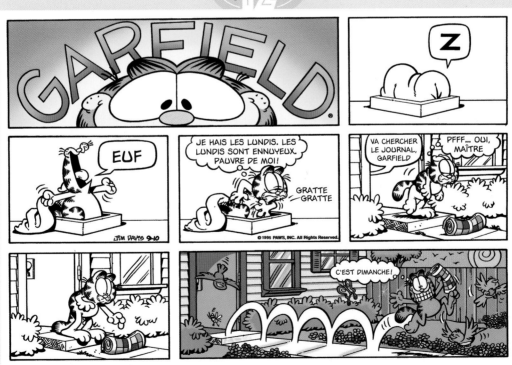

« *Vous êtes-vous déjà éveillés en croyant que c'était un jour d'école ou de travail pour ensuite
réaliser que c'était le week-end ? Vous rappelez-vous de l'euphorie qui est montée en vous lorsque
vous vous êtes dit que ce serait une belle, non, une fabuleuse journée ? La vie est belle !* »

« Le processus de création est affaire de résolution de problèmes. Comment allez-vous sauver votre héroïne des rails ? Comment faire descendre le chat de l'arbre ? Que faire lorsque le chapeau du bonhomme de neige est trop grand ? C'est mon clin d'œil au processus. »

19 novembre 1997

« Je sais, je sais. La référence à ces bagues qu'on trouvait dans les boîtes de céréales trahit mon âge. Toutefois, bon nombre de lecteurs de bandes dessinées ont quarante ans et plus. Du moins, je l'espère. »

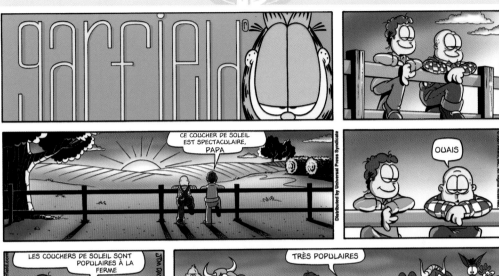

« Lorsque nous vivions à la ferme, maman, papa, mon frère et moi avons observé quantité de couchers de soleil appuyés à la clôture. Nous parlions peu, mais ces moments n'appartenaient qu'à nous. »

« La technologie nous a enfin permis de nous amuser avec les grandes œuvres. Ici, l'art imite l'art dans cet hommage à Michel-Ange, Miró, Warhol, Pollock, Seurat, Picasso et Mondrian. »

16 août 2002

« *On peut compter sur les doigts d'une main le nombre de fois où j'ai laissé Garfield dépasser les limites. Je n'ai pas pu résister à celle-ci.* »

26 février 2004

« *Par chance, cette bande ne m'a valu aucune lettre de la part d'un avocat. Peut-être les hommes de loi ne lisent-ils pas de bandes dessinées…* »

28 mai 2004

« *C'est l'une des rares fois où Garfield est sans mot. Bien entendu, il n'a jamais affirmé être parfait.* »

12 septembre 2004

« *Je ne fais pas de commentaire politique ou sociologique dans mes bandes, mais parfois je m'adonne à la philosophie. J'estime qu'il faut s'aimer soi-même avant d'aimer autrui ou, comme le dit Garfield : "si tu ne te fais pas plaisir, personne ne le fera à ta place".* »

1er juillet 2005

« *Par chance, ce qui paraît violent à la télé est considéré comme un gag visuel dans une bande dessinée. Aucun chien n'a été blessé pendant la prestation de cette saynète.* »

23 août 2005

« *C'est parfois ce que l'on ne voit pas qui rend un gag drôle. Dans la dernière case, je ne fais que donner un indice au lecteur. Certaines plaisanteries sont plus drôles s'il faut faire preuve d'imagination pour les comprendre.* »

23 octobre 2005

« L'automne est une saison que j'adore évoquer dans une bande dessinée. Une saison pleine de couleurs et de mystère. Garfield l'aime autant que moi. Mais l'automne a un inconvénient : il est beaucoup trop court. »

3 janvier 2006

« De temps en temps, une image drôle se dessine dans mon esprit et finit par s'imposer dans une bande. Dans ce cas, je suis parti de la dernière case et suis remonté à la première. »

19 janvier 2007

« *Voilà toute l'intellectualisation dont Garfield est capable. Vous savez quoi ?
Il a peut-être raison.* »

11 février 2007

« *Après le 21ᵉ anniversaire de Garfield, nous avons demandé à nos admirateurs
s'ils souhaitaient modifier la trame narrative de ses aventures. La majorité a répondu
que Jon devait avoir une vie plus agréable. Après avoir courtisé Liz pendant
un quart de siècle, la persévérance de Jon allait lui valoir quelque chose…* »

6 mars 2007

« *Pour que certains gags fonctionnent, le lecteur doit faire acte de foi.*
Dans cette bande, je lui demande de croire l'incroyable. »

7 août 2007

« *L'humour à propos des chiens fait sourire parce qu'ils sont directs et, disons-le,*
terre-à-terre. Remarquez que je n'ai pas dessiné de chien en train
de renifler n'importe quoi. Je suis trop bien élevé. »

SOUPIR...

POOKY, TU ES MON MEILLEUR AMI

TU ES TOUJOURS LÀ POUR MOI

TU ME FAIS UN CÂLIN QUAND J'EN AI BESOIN

ET TU NE ME DIS JAMAIS DE FAIRE UN RÉGIME

JE NE M'IMAGINE PAS VIVRE SANS TOI !

À PRÉSENT, BOUGE DE LÀ. TU ACCAPARES TOUT LE LIT

« *Valette Green a été ma première collaboratrice. C'était une femme charmante qui adorait les gens et les animaux. Elle est décédée il y a quelques années et cette bande a été imaginée pour elle. Dans la dernière case, les étoiles écrivent son nom. Je l'entends rire en écrivant ces lignes.* »

CRAAACH

IL VA FALLOIR DES CÔNES DE SIGNALISATION POUR CELUI-LÀ

« *Ce gag est destiné aux propriétaires de chats. Il révèle clairement le côté sordide de la vie de quiconque possède un chat.* »

25 décembre 2009

« *Même une truie aveugle finit par trouver une truffe de temps en temps.* »

5 mai 2010

« *J'ai publié cette bande un 5 mai, le jour des bédéistes aux États-Unis.* »

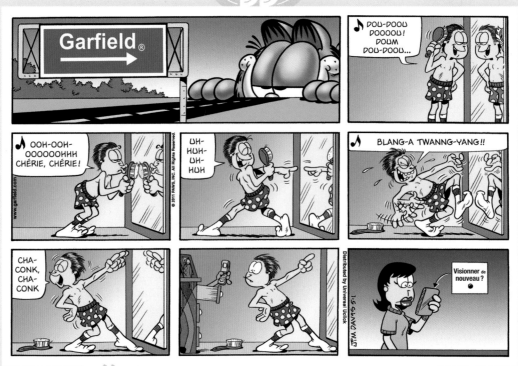

« *Garfield est entré à contrecœur dans l'ère numérique (étant lui-même un chat analogique), mais la situation ne manque pas d'humour.* »

« *À quelques exceptions près, je fais en sorte que chaque blague soit comprise partout au monde. Voici l'une de ces exceptions.* »

28 juillet 2012

GRATTE
GRATTE

C'ÉTAIT TON CADEAU D'ANNIVERSAIRE. NE T'Y HABITUE PAS

« Voici le côté sentimental de Garfield… sans plus de façon.
Par pure coïncidence, le 28 juillet est également mon anniversaire. »

19 février 2013

TU SEMBLES UN PEU DÉPRIMÉ, GARFIELD

C'EST PEUT-ÊTRE LE MOMENT DE…

OOU! OOU! OOU!

VOUS AVEZ BIEN VU : LA DANSE DU SINGE HEUREUX

« Ne vous moquez pas de moi, mais certains de mes gags sont autobiographiques…
d'accord, allez-y et moquez-vous! »

2 novembre 2014

« Voilà un côté d'Odie qu'on ne voit pas souvent. »

30 janvier 2015

« J'aime la synchronisation de ce gag et le fait qu'il soit simplement, disons-le, ridicule. »

« *Jon n'a mis que 38 ans avant d'avouer à Liz qu'il était amoureux d'elle.* »

14 mai 2017

« *Parfois, une historiette fait naître de doux sentiments plutôt que de provoquer le rire. Le cœur a aussi ses raisons…* »

Un gâteau dans la bouche en vaut deux dans le frigo

Aux idiots le gâteau file entre les doigts

GARFIELD...

QUELLE SORTE DE GÂTEAU VEUX-TU POUR TON ANNIVERSAIRE?

© 2010 PAWS, INC. All Rights Reserved.

PUISQUE TU EN PARLES

www.garfield.com

Distributed by Universal Uclick

JE N'AI JAMAIS VU DE PLAN DE GÂTEAU AUSSI DÉTAILLÉ

ET CE N'EST QUE LE SCHÉMA ÉLECTRIQUE

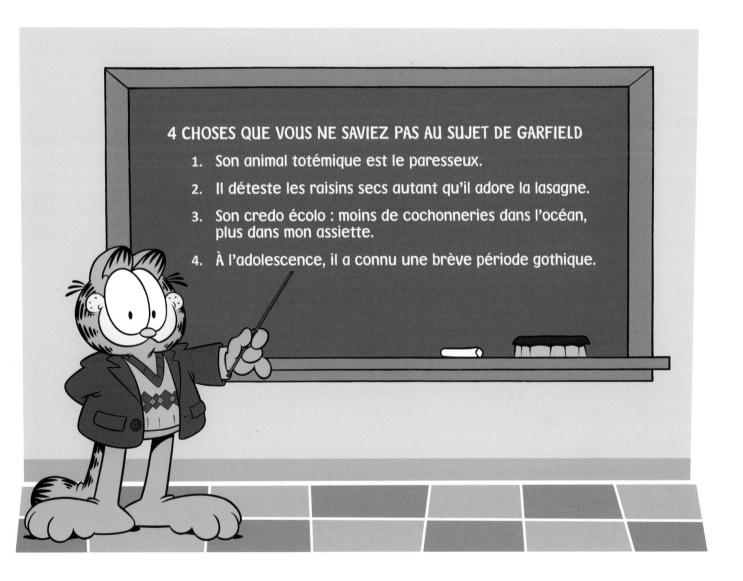

OH GARFIELD...

BON ANNIVERSAIRE!

FAIS UN VŒU, GARFIELD!

HUM...

FOUF

www.garfield.com

POUF

OUAIS!

© 2011 PAWS, INC. All Rights Reserved.

Distributed by Universal Uclick

LA FÊTE N'EST PAS TERMINÉE

BURRRP!!!

TANT QUE LE GROS CHAT N'A PAS ROTÉ!

NOUS VENONS POUR LA FÊTE D'ANNIVERSAIRE. OÙ EST LE GÂTEAU?

LA CUISINE EST PAR LÀ

BIEN. LES AMIES, SUIVEZ-MOI!

C'EST CERTAINEMENT LE CAUCHEMAR D'ANNIVERSAIRE LE PLUS DÉPRIMANT QUE J'AI FAIT

TANT DE BOUGIES...
SI PEU DE
SOUFFLE

QUIZ SUR GARFIELD

1 **Dans les premières années de la parution de la bande dessinée, qui était le colocataire de Jon ?**

A. Jack Tripper

B. Lyman

C. Beetle Bailey

D. Bozo le clown

2 **Parmi les produits suivants, lequel n'est pas un objet promotionnel de Garfield ?**

A. Un sous-vêtement

B. Un siège de toilette

C. Une lotion pour dissoudre les verrues

D. Une couche pour adulte

3 **Lorsque Jon a vu une souris dans la cuisine, que faisait-elle ?**

A. Elle préparait une assiette de nachos

B. Elle poussait un minuscule panier d'épicerie

C. Elle se servait du Wi-Fi

D. Elle cherchait les fromages

4 **Qu'a fait Greta quand elle est venue s'occuper de Garfield et d'Odie la veille du Nouvel An ?**

A. Elle a visionné en rafale tous les épisodes de *La quatrième dimension*

B. Elle a fait du ménage et s'est battue avec le canapé

C. Elle a mangé de la trempette

D. Elle s'est déguisée en Mary Poppins

5 Qu'est-ce que Jon a déjà rapporté de l'animalerie à Garfield ?

A. Des anguilles vivantes
B. De fausses oreilles de chien
C. Un exemplaire de la *Gazette de la belle belette*
D. Un postiche pour chaton

6 Qu'a fait Jon pour signifier à Liz qu'il prenait leur relation au sérieux ?

A. Il lui a donné sa recette de fondant au chocolat
B. Il lui a confié le mot de passe de son compte Netflix
C. Il lui a offert un pyjama à pattes assorti au sien
D. Il l'a invitée à une soirée karaoké, spécial polka

7 Qui s'est déjà retrouvé sur la photo de la carte de Noël de Jon ?

A. Griselda, l'ancienne copine de Jon
B. Le père Noël du centre commercial
C. Le livreur de pizza
D. Sa monitrice de gymnastique

8 Que trouve-t-on sur la pelouse de Mme Feeny, la voisine de Garfield ?

A. Des tulipes piégées
B. Une clôture électrifiée
C. Une piscine remplie d'alligators vivants
D. Un nain de jardin contenant des explosifs

9 Selon lui, Garfield n'est pas obèse; il est _____.

A. Plein de calories
B. Un peu gonflé
C. Baraqué et pulpeux
D. Pas assez grand

RÉPONSES :
1. B, 2. D, 3. B, 4. B, 5. B, 6. D, 7. C, 8. B, 9. D

BIENVENUE DANS TON CAUCHEMAR SUR L'ÂGE, VIEUX!

DES LUNETTES? POURQUOI AURAIS-JE PEUR?

PARCE QUE LORSQUE TU AURAS BESOIN DE NOUS...

TU NE TE SOUVIENDRAS JAMAIS DE L'ENDROIT OÙ TU NOUS AURAS MISES! MOUAH HA HA HAAAH!

NAVRÉ. JE N'AI PAS PEUR

AH NON? ATTENDS. IL Y A PIRE!

QUI ES-TU?

LA CHAÎNE QUI TIENT TES LUNETTES AUTOUR DE TON COU

MOUAH HA HA HAAAH!

UN ANNIVERSAIRE EST COMME UN NOMBRIL. TOUT LE MONDE EN A UN. MAIS QUI EN A VRAIMENT BESOIN ?

GARFIELD FÊTE SES 40 ANS !

JE SUIS TROP VIEUX POUR DEVENIR GRAND

GARFIELD FÊTE SES 40 ANS !

JE SAIS POUR QUELLE RAISON JE SUIS ENTRÉ DANS CETTE PIÈCE...

PARCE QUE JE L'AI NOTÉE !

VOILÀ COMMENT ON DÉJOUE LE VIEIL ÂGE !

VOUS SAVEZ QUE VOUS ÊTES VIEUX LORSQUE :

VOTRE OISEAU DE COMPAGNIE ÉTAIT UN

PTÉRODACTYLE

HÉ, LE CHAT, QUE REGARDES-TU?

UN ALBUM DE PHOTOS

UN ALBUM DE PHOTOS? QU'EST-CE QUE C'EST?

C'EST LÀ-DEDANS QUE NOUS, LES VIEUX, PUBLIONS NOS *SELFIES*.

AH

TU VEUX DIRE QUE, DANS L'ANCIEN TEMPS, LES GENS IMPRIMAIENT LEURS PHOTOS ET LES COLLAIENT DANS DES ALBUMS?

OUI

C'ÉTAIT SÛREMENT BEAUCOUP DE TRAVAIL

ILS AVAIENT BEAUCOUP DE TEMPS LIBRE

N'AVAIENT-ILS PAS DES DINOSAURES À CHASSER?

SEULEMENT LES MARDIS

EUF

CRIC

JE SUIS À L'ÂGE OÙ MÊME BÂILLER EST RISQUÉ

C'EST TON ANNIVERSAIRE...

TU PEUX FRANCHIR LA LIGNE ROUGE!

L'anniversaire de Jon est également celui de Jim !

Photo courtoisie de M Magazine, Star Press Media Group

Jon Arbuckle et Jim Davis sont tous deux nés un 28 juillet. Et pourquoi pas ? Qui se ressemble fête ensemble !

J'AI PASSÉ UNE CHARMANTE SOIRÉE, JON

MOI AUSSI. EN PLUS, C'EST MON ANNIVERSAIRE

DANS CE CAS, BON ANNIVERSAIRE !

SMACK

AS-TU REÇU CE QUE TU VOULAIS ?

J'AI REÇU UNE VIE

ET ILS VÉCURENT HEUREUX...

Les vœux que Jon a secrètement formulés en soufflant ses bougies

Marquer un panier contre LeBron James. Ou Lady Gaga

QUE QUELQU'UN LE SURNOMME THOR

Une promenade en calèche avec Céline Dion

LE RETOUR DU DISCO

AVOIR SA PROPRE BD SANS ANIMAUX DE COMPAGNIE !

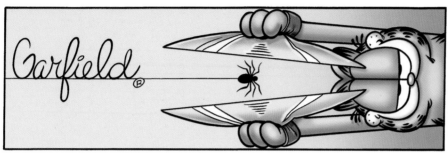

J'ESPÈRE QUE TU NE PLANIFIES PAS UNE FÊTE SURPRISE EXTRAVAGANTE POUR MON ANNIVERSAIRE

EXTRAVA-GANTE?

TAP TAP

FOUIIIIIIIIIP

RIEN N'EST TROP EXTRAVAGANT POUR NOTRE CHER JON

Jim Davis 7-27

Jim Davis 7-28

HOOON

IL S'EST SOUVENU DE MON ANNIVERSAIRE

PALMARÈS DES 10 TITRES REJETÉS POUR CET ALBUM

10 *Le chat aux tatouages ridés*

9 UN AUTRE JOUR, UN AUTRE MENTON

8 **L'orange est le nouveau gris**

7 Une brève histoire des boules de poils

6 DES RIDES SUR MES GENCIVES

5 **Quarante années de chattitude**

4 **Mange, prie, aime, rote**

3 Quarante ans pour le détournement d'un camion de crème glacée

2 Réveille-toi, ça sent l'hospice

1 **QUARANTE ANS ET DAVIS NE ME LAISSE PAS PRENDRE MA RETRAITE**

SALES GAMINS

DÉGAGEZ DE MA PELOUSE !

*Jim « Jimmy » Davis, le jour
de son sixième anniversaire,
le 28 juillet 1951.*